LUIS Y ANTONIO

THERESA MARRAMA

ISBN: 978-1-7339578-5-4
ISBN-13: 978-1-7339578-5-4

OUR DIFFERENCES NOT ONLY SET US APART FROM OTHERS, BUT SOMETIMES BRING US TOGETHER.

ÍNDICE

ACKNOWLEDGMENTS

A big **MUCHAS GRACIAS** to the following people: John Sifert, Ana Siqueira, Anny Ewing and Andrea Dima Giganti. Not only did all of you provide great feedback but you are always there to look over my work whenever asked

CAPÍTULO 1
LUIS

"¡Ohhhh! ¡Quiero ser un poco más valiente! Si soy más valiente puedo tener un amigo." piensa Luis.

Luis es un gato. No es como los otros gatos. Es grande, pero no es tan grande. Tampoco es pequeño, pero sí es pequeño si lo comparamos con otros gatos de su edad. Luis tiene 5 años.

Luis vive en Argentina. Luis vive en un bosque en Argentina. Luis vive en un bosque muy antiguo. El bosque se llama Bosque de Arrayanes. Hay muchos árboles, plantas y pájaros en el bosque.

Luis tiene un problema. Luis no es como los otros gatos. A los otros gatos les gusta correr detrás de los ratones. Luis es diferente. Luis es muy diferente a los otros gatos. Él les tiene miedo a los ratones. Les tiene mucho miedo a los ratones. A él no le gusta correr tras los ratones como a los otros gatos. No le gusta cuando los ratones son muy pequeños. Luis no es un gato normal.

CAPÍTULO 2
ANTONIO

"¡Ohhhh! ¡Quiero tener un amigo!" piensa Antonio.

Antonio es un ratón. No es grande. Es pequeño. Es más pequeño que los otros ratones de su edad. Antonio tiene 2 años.

Antonio vive en Argentina. Antonio vive en un bosque en Argentina. Vive en un bosque antiguo. El bosque antiguo se llama Bosque de Arrayanes. Hay muchos árboles. Hay muchas plantas y hay muchos pájaros en el bosque.

Antonio tiene un problema. Antonio es diferente. Es diferente porque no les tiene miedo a los gatos.

Vive cerca de un gran árbol con su familia. Tiene una mamá y un papá. Su papá es un ratón muy gordo. Su papá no es muy simpático. Es estricto. Es muy estricto. No entiende porque Antonio no es como los otros ratones. No entiende porque Antonio no le tiene miedo a los gatos. Su mamá es una ratona muy gorda como su papá. Su mamá no es mala. Su mamá no es estricta. Es simpática. Ella sí entiende por qué Antonio no les tiene miedo a los gatos. Él no les tiene miedo a los gatos porque es muy valiente.

CAPÍTULO 3
EL PAPÁ DE ANTONIO

Un día Antonio está en la casa. Quiere explorar. Quiere explorar todo el bosque. Tiene un problema: su papá. Su papá es estricto y no quiere que Antonio vaya a explorar el bosque. No quiere que Antonio explore el bosque porque si ve un gato no tiene miedo.

–Papá, ¡quiero ir a explorar el bosque! –le dice Antonio

–Antonio, no puedes ir a explorar el bosque –le dice su papá con un tono cruel.

–Pero papá yo soy curioso. Quiero ver todo el bosque –dijo Antonio.

Su papá lo mira. No responde nada. No entiende a Antonio. Él es diferente. Es muy diferente.

–¿Por qué no puedo ir a explorar el bosque papá? –le pregunta Antonio.

–¡Tú no puedes explorar el bosque Antonio! ¡No les tienes miedo a los gatos! Hay muchos gatos en el bosque –le explica su papá con un tono serio.

–Pero papá, ¡yo no les tengo miedo a los gatos! Si veo un gato puedo correr. ¡Puedo correr rápido! –le explica Antonio.

–Sí, yo entiendo, pero eres muy pequeño. ¡Un gato es muy grande! Es muy peligroso. ¡No entiendo por qué no les tienes miedo a los gatos! –responde su papá.

Antonio está triste. Su papá es cruel. Es muy estricto. Él es un ratón que quiere explorar. Sí, no les tiene miedo a los gatos. Eso no es un problema para Antonio.

CAPÍTULO 4
ANTONIO EXPLORA EL BOSQUE

Un día Antonio está en la casa. Quiere explorar. Quiere explorar todo el bosque. Tiene un problema: su padre es estricto y no quiere que Antonio vaya a explorar el bosque. No quiere que vaya a explorar el bosque porque no le dan miedo los gatos. Su papá cree que eso es muy peligroso.

–¡Papá! –grita Antonio.

Su papá no responde.

–¡Papá! ¿estás en la casa? –pregunta Antonio.

Su papá no responde.

Antonio busca a su papá. Lo busca en la casa, pero no lo ve. Su padre no está en casa. Antonio está solo en casa. Quiere tanto tener un amigo.

Él piensa. Piensa en el bosque. Piensa en explorar el bosque. Camina hacia la puerta de su casa. Su casa es pequeña. Antonio vive en el centro del bosque. Abre la puerta y camina en el bosque. ¡Al fin puede explorar! Está muy contento.

Camina y camina en el bosque. ¡Explora todo el bosque! Cuando camina, ve muchos árboles. Ve muchas plantas. Ve muchos pájaros que vuelan y que están en los árboles.

De repente, ve un gato. Ve el gato cerca de un pequeño árbol. Corre hacia el gato. En ese momento el gato lo ve. El gato lo ve y corre. Pero no corre hacia Antonio. Corre en la dirección opuesta. ¡El gato corre rápidamente en otra dirección! ¡Qué extraño!

CAPÍTULO 5
LUIS VE UN RATÓN

Un día Luis está en el bosque. Está solo. Camina y camina en el bosque. Explora y, cuando camina, ve muchas cosas. Ve muchos árboles, ve muchas plantas. Ve muchos pájaros que están en los árboles.

De repente, ve un animal pequeño. Es un ratón pequeño que explora el bosque.

En ese momento, Luis tiene miedo. Luis tiene mucho miedo. No le gustan los ratones. Luis observa el ratón durante un momento. Tiene miedo de que el ratón lo vea. Y... el ratón se da vuelta y lo ve. El ratón mira a Luis durante un momento. El ratón no le tiene miedo. Antonio, el ratón, corre hacia Luis. Inmediatamente Luis corre. No corre hacia el ratón como un gato normal. Corre rápidamente en la dirección opuesta del ratón. No quiere ver al ratón otra vez.

CAPÍTULO 6
LUIS

Luis corre. Corre mucho. Corre hasta que ya no ve al ratón. Finalmente, está detrás de un árbol en el bosque.

Luis está nervioso. Mira hacia atrás, buscando al ratón. Mira en todas las direcciones. No ve al ratón. Está contento.

Piensa en el ratón. Piensa en el momento cuando vio el ratón en el bosque. "¿Por qué el ratón corrió hacia mí? ¡Eso no es normal! Normalmente, cuando un ratón ve a un gato corre en la otra dirección. A los ratones no les gustan los gatos. Los ratones les tienen miedo a los gatos." Luis no entiende.

Luis ya no quiere caminar en el bosque después de su experiencia con el ratón.

CAPÍTULO 7
EL PAPÁ DE ANTONIO

Antonio corre a la casa. Abre la puerta de su casa. En ese momento, ve a su papá. Está en casa.

Su papá lo mira. Grita:

–¡Antonio! ¿Dónde estabas?

Antonio entiende por el tono de voz de su papá que está enojado. No solo está furioso. También está decepcionado.

Antonio mira a su papá y le dice:

–Estaba en el bosque papá. Estaba cerca de la casa.

Su papá no responde durante un momento. Mira a Antonio y de repente grita:

–Antonio, ¿estabas en el bosque? ¡Tú no PUEDES explorar el bosque! Si ves un gato...

Hay un momento de silencio.

–Si ves un gato, ¡es muy peligroso! Los gatos corren tras los ratones, Antonio. Tú no eres como los otros ratones. Eres diferente. Tú no tienes miedo a los gatos. Normalmente, si un ratón ve a un gato corre en la dirección opuesta. Pero, ¡tú no! ¡No explores más el bosque! ¿Entiendes? –le dice su papá con un tono estricto.

Antonio mira a su papá en silencio.

–¿Me escuchas, Antonio? –pregunta su papá.

–Sí, te escucho papá.

Antonio piensa. Piensa en el gato del bosque. "El gato del bosque no corrío hacia mí. Corrió en la dirección opuesta." Antonio no entiende.

CAPÍTULO 8
LUIS

Luis camina solo en el bosque. Mira hacia todas las direcciones cuando camina. No quiere ver al ratón otra vez.

Luis está triste. No entiende por qué les tiene miedo a los ratones. No quiere tener miedo a los ratones. Quiere ser valiente. Quiere ser como los otros gatos. Él entiende que es diferente, pero no quiere ser diferente. ¡Quiere tanto ser un gato normal!

Luis piensa. Piensa en el ratón del bosque. "El ratón del bosque corrió hacia mí. Era muy pequeño. ¿Por qué no puedo ser valiente?" Luis no entiende.

Luis piensa en el bosque. Piensa en el ratón del bosque. Piensa en lo que pasó cuando estaba en el bosque esta mañana. Quiere ser normal, pero quiere tanto tener un amigo. Los otros gatos no son simpáticos. Los otros gatos son malos. Son malos y se ríen de Luis porque es diferente. Luis no quiere atacar a los ratones. Piensa que eso es malo. No quiere ser malo. Quiere ser simpático. Quiere tener un amigo simpático.

CAPÍTULO 9
LA MAMÁ DE ANTONIO

Antonio está en la casa. Su papá no está en la casa, pero ve a su mamá.Su mamá lo mira. Ella nota que está triste. Le dice:

¡Antonio! ¿Cuál es el problema?

Antonio entiende por el tono de su mamá que está algo curiosa. Se siente triste por la conversación que tuvo con su papá.

Antonio mira a su mamá y le dice:

—Mamá, estoy triste. Quiero un amigo. Papá es muy estricto y dice que no puedo explorar el bosque.

Su mamá no dice nada durante un momento. Mira a Antonio y le dice:

—Antonio, tu papá es estricto, pero te ama. Está nervioso de que un gato te ataque.

Hay un momento de silencio...

—Si veo un gato, sí, ¡es muy peligroso! Yo sé que los gatos corren tras los ratones, mamá. Pero yo no soy como los otros ratones. Yo soy diferente. No me dan miedo los gatos. Normalmente, si un ratón ve a un gato corre en la dirección opuesta. Pero, ¡yo no! ¡Yo quiero explorar el bosque! ¡No tengo un amigo! Estoy solo. ¡Quiero tanto tener un amigo mamá! –dice Antonio con un tono serio.

La mamá de Antonio lo mira en silencio. Piensa. Piensa en el bosque y en todas las cosas peligrosas que hay en el bosque.

CAPÍTULO 10
EL BOSQUE

Antonio está cerca de la casa. No está explorando. Está solo. Quiere un amigo. No puede tener amigos si no puede explorar.

Antonio ve un pájaro en un árbol. El pájaro vuela hacia Antonio. Antonio no entiende. El pájaro no es simpático. Es malo. Antonio quiere correr. Sabe que si corre hacia el bosque su papá va a estar furioso. En ese momento, el pájaro vuela hacia Antonio para atacarlo. Antonio corre en la dirección opuesta, pero el pájaro vuela detrás de él. Antonio tiene miedo. Tiene mucho miedo.

En ese momento escucha a su papá:

–¡Antonio! ¡Antonio! ¡no explores el bosque! ¿Entiendes?

Antonio no puede responder. Corre rápidamente. Ve al gato que corrió en el bosque ayer. Grita:

—¡Ayúdame! El pájaro vuela detrás de mí. Quiere atacarme.

Luis ve a Antonio. Lo mira y ve al pájaro que vuela detrás de él. Puede ver que el pájaro quiere atacarlo. Luis ve al ratón. Puede ver que tiene miedo. De repente, sin pensarlo, corre hacia el ratón y ¡corre tras el pájaro! Después de un momento, el pájaro malo vuela en la dirección opuesta.

Antonio mira al gato. En ese momento su padre, que lo mira nervioso, quiere correr hacia Antonio. No quiere que el gato ataque a Antonio.

Su padre escucha a Antonio hablar con el gato. Dice:

–¡Gracias! ¡Muchas gracias! ¡Eres simpático y muy valiente!

–No, yo no soy valiente. Normalmente, corro porque les tengo miedo a los ratones. Tú eres valiente. Tú no le tienes miedo a nada –responde Luis.

Los dos animales hablan en el bosque.

–¿Quieres explorar el bosque? pregunta Luis.

Antonio mira a Luis y le dice con un tono triste:

–Quiero explorar el bosque, pero no puedo. Mi padre piensa que es muy peligroso.

–No es peligroso si exploras con un gato –dice Luis.

Su padre y su madre miran a Antonio, pero no están nerviosos. Su papá puede ver que el gato no quiere atacar a Antonio. Su papá está contento. Mira a la mamá de Antonio. Los dos ratones caminan hacia Antonio y Luis.

–Antonio no les tiene miedo a los gatos –le dice la madre al padre.

–Sí, Antonio es diferente. No les tiene miedo a los gatos –dice su papá.

–Antonio no solo es diferente. ¡Antonio es muy valiente! –dice su mamá.

En ese momento Antonio ve a su papá y a su mamá.

–¡Papá! ¿puedo ir a explorar el bosque con mi amigo?

Luis escucha cuando Antonio lo llama "mi amigo". Está muy contento. Tiene un amigo. No tiene miedo. No está nervioso.

El papá de Antonio mira al gato y mira a Antonio. Hay un momento de silencio.

Le dice: –Sí, Antonio. ¡Puedes explorar el bosque!

El papá y la mamá miran a los dos amigos que caminan en el bosque. Al fin Antonio no explora solo el bosque. Tiene un amigo. ¡Ya no corre del gato, corre con el gato!

GLOSARIO

A

a - at, to
abre - (s/he) opens
algo - something
amigo(s) - friend(s)
animal(es) - animal(s)
antiguo - old
árbol(es) - tree(s)
Argentina - country located in southern South America
Arrayanes - national park/forest of Argentina
atacar - to attack
atacarlo - to attack him

atacarme - to attack me
ataque - (s/he) attacks
atrás - behind
ay - oh
ayer - yesterday
ayúdame - help me

B

bosque - forest
busca - (s/he) looks for
buscando – looking for

C

camina - (s/he) runs

caminan - (they) run
caminar - to walk
casa - house
centro - center
cerca - near
como - like
comparamos - (we) compare
con - with
contento - happy
conversación - conversation
corre - (s/he) runs
corren - (they) runs
correr - to run
corrió - (s/he) ran
corro - (I) run
cosas - things
cree - (s/he) believes
cruel - cruel
cuál - what
cuando - when
curiosa - curious

curioso - curious

D

dan - (they) give
de repente - all of a sudden
decepcionado - disappointed
del - of the, from the
después - after
detrás de - behind
dice - (s/he) says
diferente - different
dirección - direction
direcciones - directions
dónde - where
dos - two
durante - for

E

edad - age
él - he, him

el - the
ella - she
en - in
enojado - angry
entiende - (s/he)
understands
entiendes - (you)
understand
entiendo - (I)
understand
era - (s/he) was
eres - (you) were
es - (s/he, it) is
escucha - (s/he)
listens to
escuchas - (you)
listen to
escucho - (I)
listen to
ese - that
eso - that
esta - this
está - (s/he) is
estaba - (s/he)
was
estabas - (you)
were
están - (they) are

estar - to be
estoy - (I) am
estricta - strict
estricto - strict
experiencia -
experience
explica - (s/he)
explains
explora - (s/he)
explores
explorar - to
explore
exploras - (you)
explore
explores - (you)
explore
extraño - strange

F

familia - family
(al) fin - at last
finalmente -
finally
furioso - furious

G

gato(s) - cat(s)
gorda - fat
gordo - fat
gracias - thanks
gran - big
grande - big
grita - (s/he) yells
(le) gusta - (s/he) likes
(les) gusta - (they) like
(le) gustan - (s/he) likes
(les) gustan - (they) like

H

hablan - (they) talk
hablar - to talk
hacia - towards
hasta - until
hay - there is, there are

I

inmediatamente - immediately
ir - to go

L

la - the
las - the
le - him, her
les - them
(se) llama - (s/he) is called
lo - him, it
los - the, them

M

madre - mother
mala - mean
malo(s) - mean
mamá - mom
me - me, to me
mi - my
miedo - fear
mira - (I) look (at)

miraba - (s/he) was looking (at)

miran - (they) look (at)

momento - moment

muchas – many, a lot of

mucho(s) – many, a lot of

muy - very

N

nada - nothing

nervioso(s) - nervous

no - no

normal - normal

normalmente - normally

nota - (s/he) notices

O

observa - (s/he) observes

opuesta - opposite

otra - other, another

otra vez - again

otros - other

P

padre - father

pájaro(s) - bird(s)

papá - dad

para - for

pasó - happened

  lo que pasó - what happened

peligrosas - dangerous

peligroso - dangerous

pensarlo - thinking about it

pequeña - small

pequeño(s) - small
pero - but
piensa - (she) thinks
plantas - plants
poco - a little
por - for
porque - because
por qué - why
pregunta – (s/he) asks
problema - problem
puede - (s/he) can
puedes - (you) can
puedo - (I) can
puerta - door

Q

qué - how
que - that
quiere - (s/he) wants

quieres - (you) want
quiero - (I) want

R

rápidamente - quickly
rápido - fast
ratón - mouse
ratona - mouse
ratones - mice
responde - (s/he) responds
responder - to respond
(se) ríen - (they) laugh

S

sabe - (s/he) knows
se da vuelta - (he) turns around
se siente - (he) is feeling

ser - to be
serio - serious
si - if
sí - yes
silencio - silence
simpática - nice
simpático(s) - nice
sin - without
solo - alone
son - (they) are
soy - (I) am
su - his

T

también - also
tampoco - either, neither
tan - so
tanto - so much
te - you
tener - to have
tengo - (I) have
tiene - (s/he) has
tienen - (they) have

tienes - (you) have
todas - all
todo - all
tono - tone
tras - after
triste - sad
tu - your
tú - you
tuvo - (s/he) had

U

un(a) - a, an

V

va - (s/he) is going
valiente - courageous, brave
vaya - (s/he) goes
ve - (s/he) sees
vea - (s/he) sees
veo - (I) see
ver - to see
ves - (you) see
(otra) vez - again

vio - (s/he) saw
vive - (s/he) lives
voz - voice
vuela - (s/he) flies
vuelan - (they) fly

Y

y - and
ya - already
yo - I

ABOUT THE AUTHOR

Theresa Marrama is a French teacher in Northern New York. She has been teaching French to middle and high school students for 11 years. She has translated a variety of Spanish comprehensible readers into French. She is also a published author. She enjoys teaching with Comprehensible Input and writing comprehensible stories for language learners.

HER BOOKS INCLUDE:

Une Obsession dangereuse, which can be purchased at www.fluencymatters.com

HER BOOKS ON AMAZON INCLUDE:

Une disparition mystérieuse
Una desaparición misteriosa
L'île au trésor:
Première partie: La malédiction de l'île Oak
La ofrenda de Sofía
Léo et Anton
Leona und Anna

Made in the USA
Las Vegas, NV
20 April 2021

21736939R00026